SUKEN NOTEBOOK

チャート式
基礎からの　数学 III

完成ノート

【微分法とその応用】

本書は，数研出版発行の参考書「チャート式 基礎からの　数学 III」の
第 3 章「微分法」，　第 4 章「微分法の応用」
の例題と練習の全問を掲載した，書き込み式ノートです。
本書を仕上げていくことで，自然に実力を身につけることができます。

目　次

第３章　微　分　法

7. 微分係数と導関数 ……………… 2
8. 導関数の計算 ……………… 8
9. いろいろな関数の導関数 ……… 16
10. 関連発展問題 ……………… 25
11. 高次導関数，関数のいろいろな表し方と導関数 ……………… 30

第４章　微分法の応用

12. 接線と法線 ……………… 47
13. 平均値の定理 ……………… 64
14. 関数の値の変化，最大・最小 ……………… 72
15. 関数のグラフ ……………… 99
16. 方程式・不等式への応用 …… 122
17. 関連発展問題（極限が関連する問題） ……………… 135
18. 速度と加速度，近似式 ……… 141

231001

7．微分係数と導関数

基本 例題 60

□ 解説動画

関数 $f(x)=x^2|x-2|$ は $x=2$ において連続であるか，微分可能であるかを調べよ。

練習 (基本) **60**　次の関数は，$x=0$ において連続であるか，微分可能であるかを調べよ。

(1)　$f(x)=|x|\sin x$

(2) $f(x)=\begin{cases} 0 & (x=0) \\ \dfrac{x}{1+2^{\frac{1}{x}}} & (x \neq 0) \end{cases}$

基本 例題 61

□ 解説動画

次の関数を，導関数の定義に従って微分せよ。

(1)　$y=\dfrac{x}{2x-1}$

(2)　$y=\sqrt[3]{x^2}$

練習 (基本) **61**　次の関数を，導関数の定義に従って微分せよ。

(1)　$y=\dfrac{1}{x^2}$

(2)　$y=\sqrt{4x+3}$

(3)　$y=\sqrt[4]{x}$

重 要 例題 62

□ 解説動画

関数 $f(x)$ を次のように定める。

$$f(x)=\begin{cases} ax^2+bx-2 & (x \geqq 1) \\ x^3+(1-a)x^2 & (x<1) \end{cases}$$

$f(x)$ が $x=1$ で微分可能となるように，定数 a，b の値を定めよ。

練習 (重要) **62**　$f(x)=\begin{cases}\sqrt{x^2-2}+3 & (x\geqq 2)\\ ax^2+bx & (x<2)\end{cases}$ で定義される関数 $f(x)$ が $x=2$ で微分可能となるように，定数 a，b の値を定めよ。

８．導関数の計算

基 本 例題 63

⊳ 解説動画

(1)　次の関数を微分せよ。

（ア）　$y=x^4+2x^3-3x$

（イ）　$y=(2x-1)(x^2-x+3)$

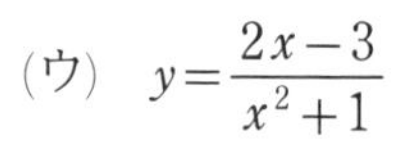

（ウ）　$y=\dfrac{2x-3}{x^2+1}$

（エ）　$y=\dfrac{2x^3+x-1}{x^2}$

(2)　（ア）　関数 $f(x)$，$g(x)$，$h(x)$ が微分可能であるとき，次の公式を証明せよ。

$$\{f(x)g(x)h(x)\}'=f'(x)g(x)h(x)+f(x)g'(x)h(x)+f(x)g(x)h'(x)$$

（イ）　関数 $y=(x+1)(x-2)(x^2+3)$ を微分せよ。

練習 (基本) **63**　次の関数を微分せよ。

(1)　$y=3x^5-2x^4+4x^2-2$

(2)　$y=(x^2+2x)(x^2-x+1)$

(3)　$y=(x^3+3x)(x^2-2)$

(4)　$y=(x+3)(x^2-1)(-x+2)$

(5)　$y=\dfrac{1}{x^2+x+1}$

(6)　$y=\dfrac{1-x^2}{1+x^2}$

(7) $y=\dfrac{x^3-3x^2+x}{x^2}$

(8) $y=\dfrac{(x-1)(x^2+2)}{x^2+3}$

基 本 例題 64

次の関数を微分せよ。

(1) $y=(x^2+1)^3$

(2) $y=\dfrac{1}{(2x-3)^2}$

(3)　$y=(3x+1)^2(x-2)^3$

(4)　$y=\dfrac{x-1}{(x^2+1)^2}$

練習 (基本) **64**　次の関数を微分せよ。

(1)　$y=(x-3)^3$

(2)　$y=(x^2-2)^2$

(3)　$y=(x^2+1)^2(x-3)^3$

(4) $y=\dfrac{1}{(x^2-2)^3}$

(5) $y=\left(\dfrac{x-2}{x+1}\right)^2$

(6) $y=\dfrac{(2x-1)^3}{(x^2+1)^2}$

基本 例題 65

□ 

(1) $y=x^3$ の逆関数の導関数を求めよ。

(2) $y=x^3+3x$ の逆関数を $g(x)$ とするとき，微分係数 $g'(0)$ を求めよ。

(3) 次の関数を微分せよ。

(ア) $y=\sqrt[4]{x^3}$

(イ) $y=\sqrt{x^2+3}$

練習 (基本) **65**　(1)　$y=\frac{1}{x^3}$ の逆関数の導関数を求めよ。

(2)　$f(x)=\frac{1}{x^3+1}$ の逆関数 $f^{-1}(x)$ の $x=\frac{1}{65}$ における微分係数を求めよ。

(3) 次の関数を微分せよ。

(ア) $y=\dfrac{1}{\sqrt[3]{x^2}}$

(イ) $y=\sqrt{2-x^3}$

(ウ) $y=\sqrt[3]{\dfrac{x-1}{x+1}}$

9．いろいろな関数の導関数

基本 例題 66

□ 

次の関数を微分せよ。

(1)　$y=\cos(2x+3)$

(2)　$y=\dfrac{1}{\tan x}$

(3)　$y=\dfrac{\cos x}{3+\sin x}$

練習 (基本) **66**　次の関数を微分せよ。

(1)　$y=\sin 2x$

(2)　$y=\cos x^2$

(3) $y=\tan^2 x$

(4) $y=\sin^3(2x+1)$

(5) $y=\cos x \sin^2 x$

(6) $y=\tan(\sin x)$

(7) $y=\dfrac{\tan x}{x}$

(8) $y=\dfrac{\cos x}{\sqrt{x}}$

基本 例題 67

□ 解説動画

次の関数を微分せよ。

(1) $y=\log(x^2+1)$

(2) $y=\log_2|2x|$

(3) $y=\log|\tan x|$

(4) $y=e^{2x}$

(5) $y=2^{-3x}$

(6) $y=e^x\sin x$

練習 (基本) **67** 次の関数を微分せよ。ただし，$a>0$，$a\neq 1$ とする。

(1) $y=\log 3x$

(2) $y=\log_{10}(-4x)$

(3) $y=\log|x^2-1|$

(4) $y=(\log x)^3$

(5) $y=\log_2|\cos x|$

(6) $y=\log(\log x)$

(7) $y=\log\dfrac{2+\sin x}{2-\sin x}$

(8) $y=e^{6x}$

(9) $y=\dfrac{e^x-e^{-x}}{e^x+e^{-x}}$

(10) $y=a^{-2x+1}$

(11) $y=e^x\cos x$

基本 例題 68

□ 解説動画

次の関数を微分せよ。

(1)　$y=\sqrt[3]{\dfrac{(x+2)^4}{x^2(x^2+1)}}$

(2)　$y=x^x$　$(x>0)$

練習 (基本) 68　次の関数を微分せよ。

(1)　$y=x^{2x}$　$(x>0)$

(2) $y=x^{\log x}$

(3) $y=(x+2)^2(x+3)^3(x+4)^4$

(4) $y=\dfrac{(x+1)^3}{(x^2+1)(x-1)}$

(5) $y=\sqrt[3]{x^2(x+1)}$

(6) $y=(x+2)\sqrt{\dfrac{(x+3)^3}{x^2+1}}$

基本 例題 69

□ 

$\lim_{h \to 0}(1+h)^{\frac{1}{h}}=e$ を用いて，次の極限値を求めよ。

(1) $\lim_{x \to 0}(1+2x)^{\frac{1}{x}}$

(2) $\lim_{x \to \infty}\left(1+\frac{3}{x}\right)^x$

(3) $\lim_{x \to \infty}\left(1-\frac{4}{x}\right)^x$

練習（基本）**69**　$\lim_{h\to 0}(1+h)^{\frac{1}{h}}=e$ を用いて，次の極限値を求めよ。

(1)　$\lim_{x\to 0}(1-x)^{\frac{1}{x}}$

(2)　$\lim_{x\to\infty}\left(1-\frac{1}{x}\right)^{2x}$

(3)　$\lim_{x\to\infty}\left(\frac{x}{x+1}\right)^{x}$

１０．関連発展問題

演習 例題 70 □ 

関数 $f(x)$ は微分可能で，$f'(0)=\alpha$ とする。次の極限値を求めよ。

(1) $\displaystyle\lim_{h\to 0}\frac{f(a+h^2)-f(a)}{h}$

(2) $\displaystyle\lim_{x\to 0}\frac{f(3x)-f(\sin x)}{x}$

練習 (演習) 70　関数 $f(x)$ は微分可能であるとする。

(1) 極限値 $\displaystyle\lim_{h\to 0}\frac{f(x+2h)-f(x)}{\sin h}$ を $f'(x)$ を用いて表せ。

(2) $f'(0)=2$ であるとき，極限値 $\displaystyle\lim_{x\to 0}\frac{f(2x)-f(-x)}{x}$ を求めよ。

演習 例題 71

(1) 次の極限値を求めよ。ただし，α は定数とする。

(ア) $\displaystyle\lim_{x\to 0}\frac{2^x-1}{x}$

(イ) $\displaystyle\lim_{x\to \alpha}\frac{x\sin x-\alpha\sin\alpha}{\sin(x-\alpha)}$

(2) $\displaystyle\lim_{x\to 0}\frac{e^x-1}{x}=1$ であることを用いて，極限値 $\displaystyle\lim_{h\to 0}\frac{e^{(h+1)^2}-e^{h^2+1}}{h}$ を求めよ。

練習（演習）**71** 次の極限値を求めよ。ただし，a は定数とする。

(1) $\displaystyle\lim_{x\to 0}\frac{3^{2x}-1}{x}$

(2) $\lim_{x \to 1} \frac{\log x}{x-1}$

(3) $\lim_{x \to a} \frac{1}{x-a} \log \frac{x^x}{a^a}$ $(a>0)$

(4) $\lim_{x \to 0} \frac{e^x - e^{-x}}{x}$

(5) $\displaystyle\lim_{x\to 0}\frac{e^{a+x}-e^{a}}{x}$

演 習 例題 72 □ 

関数 $f(x)$ は微分可能で，$f'(0)=a$ とする。

(1) 任意の実数 x，y に対して，等式 $f(x+y)=f(x)+f(y)$ が成り立つとき，$f(0)$，$f'(x)$ を求めよ。

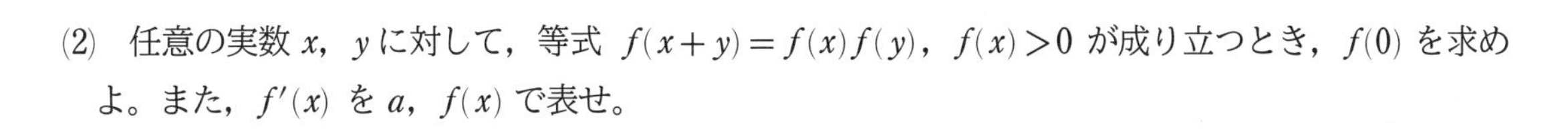

(2)　任意の実数 x，y に対して，等式 $f(x+y)=f(x)f(y)$，$f(x)>0$ が成り立つとき，$f(0)$ を求めよ。また，$f'(x)$ を a，$f(x)$ で表せ。

練習 (演習) **72**　関数 $f(x)$ は微分可能で，$f'(0)=a$ とする。任意の実数 x，y，p $(p \fallingdotseq 0)$ に対して，等式 $f(x+py)=f(x)+pf(y)$ が成り立つとき $f'(x)$，$f(x)$ を順に求めよ。

１１．高次導関数，関数のいろいろな表し方と導関数

基本 例題 73

□ 

(1) 次の関数の第 2 次導関数，第 3 次導関数を求めよ。

(ア) $y=x^4-2x^3+3x-1$

(イ) $y=\sin 2x$

(ウ) $y=a^x$ $(a>0,\ a\neq 1)$

(2) $y=\tan x$ $\left(-\dfrac{\pi}{2}<x<\dfrac{\pi}{2}\right)$ の逆関数を $y=g(x)$ とする。$g''(1)$ の値を求めよ。

練習 (基本) **73** (1) 次の関数の第 2 次導関数，第 3 次導関数を求めよ。

(ア) $y=x^3-3x^2+2x-1$

(イ) $y=\sqrt[3]{x}$

(ウ) $y=\log(x^2+1)$

(エ)　$y=xe^{2x}$

(オ)　$y=e^{x}\cos x$

(2)　$y=\cos x$　$(\pi<x<2\pi)$ の逆関数を $y=g(x)$ とするとき，$g'(x)$，$g''(x)$ をそれぞれ x の式で表せ。

基本 例題 74

□ 解説動画

(1) $y=\log(1+\cos x)^2$ のとき，等式 $y''+2e^{-\frac{y}{2}}=0$ を証明せよ。

(2) $y=e^{2x}\sin x$ に対して，$y''=ay+by'$ となるような実数の定数 a，b の値を求めよ。

練習 (基本) **74** (1) $y=\log\left(x+\sqrt{x^2+1}\right)$ のとき，等式 $(x^2+1)y''+xy'=0$ を証明せよ。

(2) $y=e^{2x}+e^x$ が $y''+ay'+by=0$ を満たすとき，定数 a，b の値を求めよ。

基本 例題 75

□ 

n を自然数とする。

(1) $y=\sin 2x$ のとき，$y^{(n)}=2^n\sin\left(2x+\dfrac{n\pi}{2}\right)$ であることを証明せよ。

(2) $y=x^n$ の第 n 次導関数を求めよ。

練習 (基本) **75**　n を自然数とする。次の関数の第 n 次導関数を求めよ。

(1)　$y=\log x$

(2) $y=\cos x$

重 要 例題 76

□ 

関数 $f(x)=\dfrac{1}{\sqrt{1-x^2}}$ $(-1<x<1)$ について，等式

$$(1-x^2)f^{(n+1)}(x)-(2n+1)xf^{(n)}(x)-n^2f^{(n-1)}(x)=0 \quad (n \text{ は自然数})$$

が成り立つことを証明せよ。ただし，$f^{(0)}(x)=f(x)$ とする。

練習 (重要) **76**　関数 $f(x)=\dfrac{1}{1+x^2}$ について，等式

$$(1+x^2)f^{(n)}(x)+2nxf^{(n-1)}(x)+n(n-1)f^{(n-2)}(x)=0 \quad (n \geqq 2)$$

が成り立つことを証明せよ。ただし，$f^{(0)}(x)=f(x)$ とする。

重 要 例題 77

$f(x)=x^2e^x$ とする。

(1) $f'(x)$ を求めよ。

(2) 定数 a_n，b_n を用いて，$f^{(n)}(x)=(x^2+a_nx+b_n)e^x$ $(n=1,\ 2,\ 3,\ \cdots\cdots)$ と表すとき，a_{n+1}，b_{n+1} をそれぞれ a_n，b_n を用いて表せ。

(3) $f^{(n)}(x)$ を求めよ。

練習 (重要) **77**　$f(x)=(3x+5)e^{2x}$ とする。

(1)　$f'(x)$ を求めよ。

(2)　定数 a_n，b_n を用いて，$f^{(n)}(x)=(a_nx+b_n)e^{2x}$　($n=1$，2，3，……) と表すとき，a_{n+1}，b_{n+1} をそれぞれ a_n，b_n を用いて表せ。

(3)　$f^{(n)}(x)$ を求めよ。

基 本 例題 78

□ 

方程式 $\dfrac{x^2}{4}-\dfrac{y^2}{9}=1$ …… ① で定められる x の関数 y について，$\dfrac{dy}{dx}$ と $\dfrac{d^2y}{dx^2}$ をそれぞれ x と y を用いて表せ。

練習 (基本) **78**　次の方程式で定められる x の関数 y について，$\dfrac{dy}{dx}$ と $\dfrac{d^2y}{dx^2}$ をそれぞれ x と y を用いて表せ。

(1)　$y^2=x$

(2)　$x^2-y^2=4$

(3)　$(x+1)^2+y^2=9$

(4)　$3xy-2x+5y=0$

基本 例題 79

x の関数 y が，t，θ を媒介変数として，次の式で表されるとき，導関数 $\dfrac{dy}{dx}$ を t，θ の関数として表せ。ただし，(2) の a は正の定数とする。

(1) $\begin{cases} x=t^3+2 \\ y=t^2-1 \end{cases}$

(2) $\begin{cases} x=a(\theta-\sin\theta) \\ y=a(1-\cos\theta) \end{cases}$

練習 (基本) **79**　x の関数 y が，t，θ を媒介変数として，次の式で表されるとき，導関数 $\dfrac{dy}{dx}$ を t，θ の関数として表せ。

(1) $\begin{cases} x=2t^3+1 \\ y=t^2+t \end{cases}$

(2) $\begin{cases} x=\sqrt{1-t^2} \\ y=t^2+2 \end{cases}$

(3) $\begin{cases} x=2\cos\theta \\ y=3\sin\theta \end{cases}$

(4) $\begin{cases} x=3\cos^3\theta \\ y=2\sin^3\theta \end{cases}$

重 要 例題 80

□ 

(1) $\cos x = k\cos y$ ($0 < x < \pi$，$0 < y < \pi$，k は $k > 1$ の定数) が成り立つとき，$\dfrac{dy}{dx}$ を x の式で表せ。

(2) サイクロイド $x = t - \sin t$，$y = 1 - \cos t$ について，$\dfrac{d^2y}{dx^2}$ を t の関数として表せ。

練習 (重要) **80** (1) $x\tan y = 1 \left(x > 0,\ 0 < y < \dfrac{\pi}{2}\right)$ が成り立つとき，$\dfrac{dy}{dx}$ を x の式で表せ。

(2)　$x=a\cos\theta$，$y=b\sin\theta$　$(a>0,\ b>0)$ のとき，$\dfrac{d^2y}{dx^2}$ を θ の式で表せ。

(3)　$x=3-(3+t)e^{-t}$，$y=\dfrac{2-t}{2+t}e^{2t}$　$(t>-2)$ について，$\dfrac{d^2y}{dx^2}$ を t の式で表せ。

１２．接線と法線

基本 例題 81　□ 解説動画

(1)　曲線 $y=\dfrac{3}{x}$ 上の点 $(1,\ 3)$ における接線と法線の方程式を求めよ。

(2)　曲線 $y=\sqrt{25-x^2}$ に接し，傾きが $-\dfrac{3}{4}$ である直線の方程式を求めよ。

練習 (基本) **81**　(1)　次の曲線上の点 A における接線と法線の方程式を求めよ。

(ア)　$y=-\sqrt{2x}$，A (2，-2)

(イ)　$y=e^{-x}-1$，A (-1，$e-1$)

(ウ)　$y=\tan 2x$，A$\left(\dfrac{\pi}{8},\ 1\right)$

(2)　曲線 $y=x+\sqrt{x}$ に接し，傾きが $\dfrac{3}{2}$ である直線の方程式を求めよ。

基本 例題 82

□ 

(1)　原点から曲線 $y=\log x-1$ に引いた接線の方程式を求めよ。

(2)　$k>0$ とする。曲線 $y=k\sqrt{x}$ 上にない点 $(0,\ 2)$ からこの曲線に引いた接線の方程式が $y=8x+2$ であるとき，定数 k の値と接点の座標を求めよ。

練習 (基本) **82**　(1)　次の曲線に，与えられた点Pから引いた接線の方程式と，そのときの接点の座標を求めよ。

(ア)　$y=x\log x$，P$(0,\ -2)$

(イ)　$y=\dfrac{1}{x}+1$，P$(1,\ -2)$

(2) 直線 $y=x$ が曲線 $y=a^x$ の接線となるとき，a の値と接点の座標を求めよ。ただし，$a>0$，$a \fallingdotseq 1$ とする。

基本 例題 83

□ 

次の曲線上の点 P，Q における接線の方程式をそれぞれ求めよ。

(1) 楕円 $\dfrac{x^2}{a^2}+\dfrac{y^2}{b^2}=1$ 上の点 $\mathrm{P}(x_1,\ y_1)$　　ただし，$a>0$，$b>0$

(2) 曲線 $x=e^t$，$y=e^{-t^2}$ の $t=1$ に対応する点 Q

練習 (基本) **83**　次の曲線上の点 P，Q における接線の方程式をそれぞれ求めよ。

(1)　双曲線 $x^2-y^2=a^2$ 上の点 $\mathrm{P}(x_1,\ y_1)$　　ただし，$a>0$

(2)　曲線 $x=1-\cos 2t$，$y=\sin t+2$ 上の $t=\dfrac{5}{6}\pi$ に対応する点 Q

基本 例題 84

□ 

2 つの曲線 $y=-x^2$, $y=\dfrac{1}{x}$ に同時に接する直線の方程式を求めよ。

練習 (基本) **84**　2 つの曲線 $y=e^x$，$y=\log(x+2)$ の共通接線の方程式を求めよ。

基本 例題 85

□ 

$0<x<\pi$ のとき，曲線 C_1：$y=2\sin x$ と曲線 C_2：$y=k-\cos 2x$ が共有点 P で共通の接線をもつ。定数 k の値と点 P の座標を求めよ。

練習 (基本) **85**　2 つの曲線 $y=ax^2$，$y=\log x$ が接するとき，定数 a の値を求めよ。このとき，接点での接線の方程式を求めよ。

基 本 例題 86

□ 

2 つの曲線 $y=x^2+ax+b$，$y=\dfrac{c}{x}+2$ は，点 $(2,\ 3)$ で交わり，この点における接線は互いに直交するという。定数 a，b，c の値を求めよ。

練習 (基本) **86**　$k>0$ とする。$f(x)=-(x-a)^2$，$g(x)=\log kx$ のとき，曲線 $y=f(x)$ と曲線 $y=g(x)$ の共有点を P とする。この点 P において曲線 $y=f(x)$ の接線と曲線 $y=g(x)$ の接線が直交するとき，a と k の関係式を求めよ。

基本 例題 87

□ 

曲線 $y=e^{-x^2}$ に，点 $(a,\ 0)$ から接線が引けるような定数 a の値の範囲を求めよ。

練習 (基本) **87**　曲線 $y=xe^x$ に，点 $(a,\ 0)$ から接線が引けるような定数 a の値の範囲を求めよ。

基本 例題 88

□ 

曲線 $\sqrt[3]{x^2}+\sqrt[3]{y^2}=\sqrt[3]{a^2}$ $(a>0)$ 上の点Pにおける接線が x 軸，y 軸と交わる点をそれぞれA，Bとするとき，線分ABの長さはPの位置に関係なく一定であることを示せ。ただし，Pは座標軸上にないものとする。

練習 (基本) **88**　曲線 $\sqrt{x}+\sqrt{y}=\sqrt{a}$　$(a>0)$ 上の点 P(座標軸上にはない) における接線が，x 軸，y 軸と交わる点をそれぞれ A，B とするとき，原点 O からの距離の和 OA＋OB は一定であることを示せ。

１３．平均値の定理

基本 例題 89

□ 

(1)　$f(x)=2\sqrt{x}$ と区間 $[1,\ 4]$ について，平均値の定理の式 $\dfrac{f(b)-f(a)}{b-a}=f'(c)$，$a<c<b$ を満たす c の値を求めよ。

(2)　$f(x)=\dfrac{1}{x}$ $(x>0)$ のとき，$f(a+h)-f(a)=hf'(a+\theta h)$，$0<\theta<1$ を満たす θ を正の数 a，h で表し，$\displaystyle\lim_{h\to+0}\theta$ を求めよ。

練習 (基本) **89** (1) 次の関数 $f(x)$ と区間について，平均値の定理の式 $\dfrac{f(b)-f(a)}{b-a}=f'(c)$，

$a<c<b$ を満たす c の値を求めよ。

(ア) $f(x)=\log x$ $[1,\ e]$　　(イ) $f(x)=e^{-x}$ $[0,\ 1]$

(2) $f(x)=x^3$ のとき，$f(a+h)-f(a)=hf'(a+\theta h)$，$0<\theta<1$ を満たす θ を正の数 a，h で表し，

$\displaystyle\lim_{h\to+0}\theta$ を求めよ。

基本 例題 90

平均値の定理を用いて，次のことを証明せよ。

$\frac{1}{e^2}<a<b<1$ のとき　$a-b<b\log b-a\log a<b-a$

練習 (基本) **90**　平均値の定理を利用して，次のことを証明せよ。

(1)　$a<b$ のとき　$e^a<\frac{e^b-e^a}{b-a}<e^b$

(2) $t>0$ のとき　$0<\log\dfrac{e^t-1}{t}<t$

(3) $0<a<b$ のとき　$1-\dfrac{a}{b}<\log b-\log a<\dfrac{b}{a}-1$

重 要 例題 91

□ 

平均値の定理を利用して，極限値 $\lim_{x \to 0} \dfrac{\cos x - \cos x^2}{x - x^2}$ を求めよ。

練習 (重要) **91**　平均値の定理を利用して，次の極限値を求めよ。

(1)　$\displaystyle\lim_{x\to 0}\log\frac{e^x-1}{x}$

(2)　$\displaystyle\lim_{x\to 1}\frac{\sin \pi x}{x-1}$

演 習 例題 92

□ 

ロピタルの定理を用いて，次の極限値を求めよ。

(1) $\displaystyle \lim_{x \to 0} \frac{x - \log(1+x)}{x^2}$

(2) $\displaystyle \lim_{x \to \infty} \frac{x^2}{e^{2x}}$

(3) $\displaystyle \lim_{x \to +0} x\log x$

練習 (演習) **92**　ロピタルの定理を用いて，次の極限値を求めよ。

(1) $\displaystyle\lim_{x\to 0}\frac{e^x-e^{-x}}{x}$

(2) $\displaystyle\lim_{x\to 0}\frac{x-\sin x}{x^2}$

(3) $\displaystyle\lim_{x\to\infty}x\log\frac{x-1}{x+1}$

１４．関数の値の変化，最大・最小

基本 例題 93

関数 $y=\dfrac{x^2+3x+9}{x+3}$ の増減を調べよ。

練習 (基本) **93**　次の関数の増減を調べよ。

(1)　$y=x-2\sqrt{x}$

(2)　$y=\dfrac{x^3}{x-2}$

(3)　$y=2x-\log x$

基本 例題 94

□ 

次の関数の極値を求めよ。

(1)　$y=(x^2-3)e^{-x}$

(2) $y=2\cos x-\cos 2x \quad (0\leqq x\leqq 2\pi)$

(3) $y=|x|\sqrt{x+3}$

練習 (基本) **94**　次の関数の極値を求めよ。

(1)　$y=xe^{-x}$

(2)　$y=\dfrac{3x-1}{x^3+1}$

(3)　$y=\dfrac{x+1}{x^2+x+1}$

(4) $y=(1-\sin x)\cos x \quad (0 \leqq x \leqq 2\pi)$

(5) $y=|x|\sqrt{4-x}$

(6)　$y=(x+2)\cdot\sqrt[3]{x^2}$

基本 例題 95

□ 

a は定数とする。関数 $f(x)=\dfrac{x+1}{x^2+2x+a}$ について，次の条件を満たす a の値または範囲をそれぞれ求めよ。

(1)　$f(x)$ が $x=1$ で極値をとる。

(2)　$f(x)$ が極値をもつ。

練習 (基本) **95**　関数 $f(x)=\dfrac{e^{kx}}{x^2+1}$ (k は定数) について

(1)　$f(x)$ が $x=-2$ で極値をとるとき，k の値を求めよ。

(2)　$f(x)$ が極値をもつとき，k のとりうる値の範囲を求めよ。

重 要 例題 96

□ 

a を正の定数とする。関数 $f(x)=e^{-ax}+a\log x \quad (x>0)$ に対して，$f(x)$ が極値をもたないような a の値の範囲を求めよ。

練習 (重要) **96**　関数 $y=\log\left(x+\sqrt{x^2+1}\right)-ax$ が極値をもたないように，定数 a の値の範囲を定めよ。

基本 例題 97

□ 

関数 $f(x)=\dfrac{ax^2+bx+c}{x-6}$ は $x=5$ で極大値 3，$x=7$ で極小値 7 をとる。このとき，定数 a，b，c の値を求めよ。

練習 (基本) **97**　関数 $f(x)=\dfrac{ax^2+bx+c}{x^2+2}$ は $x=-2$ で極小値 $\dfrac{1}{2}$，$x=1$ で極大値 2 をとる。このとき，定数 a，b，c の値を求めよ。

基本 例題 98

□ 解説動画

関数 $y=\sqrt{4-x^2}-x$ の最大値と最小値を求めよ。

練習 (基本) **98** 次の関数の最大値，最小値を求めよ。(1)，(2) では $0 \leqq x \leqq 2\pi$ とする。

(1) $y=\sin 2x+2\sin x$

(2) $y=\sin x+(1-x)\cos x$

(3) $y=x+\sqrt{1-4x^2}$

(4) $y=(x^2-1)e^x$ $(-1 \leqq x \leqq 2)$

基本 例題 99

□ 解説動画

次の関数に最大値，最小値があれば，それを求めよ。ただし，(2) では必要ならば $\displaystyle\lim_{x\to\infty} xe^{-x}=\lim_{x\to\infty} x^2e^{-x}=0$ を用いてもよい。

(1) $y=\dfrac{2x}{x^2+4}$

(2) $y=(3x-2x^2)e^{-x}$

練習 (基本) **99** 次の関数に最大値，最小値があれば，それを求めよ。

(1) $y=\dfrac{x^2-3x}{x^2+3}$

(2)　$y=e^{-x}+x-1$

重 要 例題 100

□ 

関数 $y=\dfrac{4\sin x+3\cos x+1}{7\sin^2 x+12\sin 2x+11}$ について，次の問いに答えよ。

(1)　$t=4\sin x+3\cos x$ とおくとき，t のとりうる値の範囲を求めよ。また，y を t で表せ。

(2) y の最大値と最小値を求めよ。

練習 (重要) **100** $0<x<\dfrac{\pi}{6}$ を満たす実数 x に対して，$t=\tan x$ とおく。

(1) $\tan 3x$ を t で表せ。

(2)　x が $0<x<\frac{\pi}{6}$ の範囲を動くとき，$\frac{\tan^3 x}{\tan 3x}$ の最大値を求めよ。

基 本 例題 101

関数 $y=e^x\{2x^2-(p+4)x+p+4\}$ $(-1\leqq x\leqq 1)$ の最大値が 7 であるとき，正の定数 p の値を求めよ。

練習 (基本) **101**　関数 $f(x)=\dfrac{a\sin x}{\cos x+2}$ $(0\leqq x\leqq \pi)$ の最大値が $\sqrt{3}$ となるように定数 a の値を定めよ。

基 本 例題 102

a，b は定数で，$a>0$ とする。関数 $f(x)=\dfrac{x-b}{x^2+a}$ の最大値が $\dfrac{1}{6}$，最小値が $-\dfrac{1}{2}$ であるとき，a，b の値を求めよ。

練習 (基本) **102**　関数 $f(x)=\dfrac{x+a}{x^2+1}$ $(a>0)$ について，次のものを求めよ。

(1)　$f'(x)=0$ となる x の値

(2)　(1) で求めた x の値を α，β $(\alpha<\beta)$ とするとき，β と 1 の大小関係

(3)　$0\leqq x\leqq 1$ における $f(x)$ の最大値が 1 であるとき，a の値

基本 例題 103

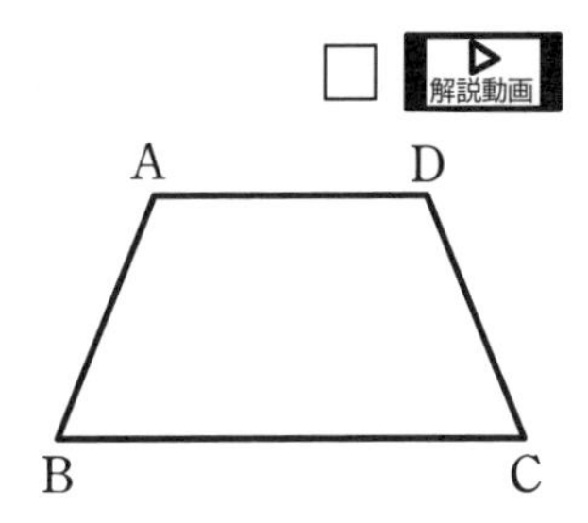

a を正の定数とする。台形 ABCD が AD∥BC，AB＝AD＝CD＝a，BC＞a を満たしているとき，台形 ABCD の面積 S の最大値を求めよ。

練習 (基本) **103**　3 点 O$(0,\ 0)$，A$\left(\dfrac{1}{2},\ 0\right)$，P$(\cos\theta,\ \sin\theta)$ と点 Q が，条件 OQ＝AQ＝PQ を満たす。ただし，$0<\theta<\pi$ とする。

(1)　点 Q の座標を求めよ。

(2)　点 Q の y 座標の最小値とそのときの θ の値を求めよ。

重 要 例題 104

□ 

半径 1 の球に，側面と底面で外接する直円錐を考える。この直円錐の体積が最小となるとき，底面の半径と高さの比を求めよ。

練習 (重要) **104**　体積が $\frac{\sqrt{2}}{3}\pi$ の直円錐において，直円錐の側面積の最小値を求めよ。また，最小となるときの直円錐の底面の円の半径と高さを求めよ。

１５．関数のグラフ

基本 例題 105 □ 解説動画

曲線 $y=\dfrac{x}{x^2+1}$ の凹凸を調べ，変曲点を求めよ。

練習 (基本) 105 次の曲線の凹凸を調べ，変曲点を求めよ。

(1) $y=x^4+2x^3+2$

(2)　$y=x+\cos 2x\ \ (0\leqq x\leqq \pi)$

(3)　$y=xe^{x}$

(4)　$y=x^{2}+\dfrac{1}{x}$

基本 例題 106

□ 

次の曲線の漸近線の方程式を求めよ。

(1)　$y=\dfrac{x^3}{x^2-4}$

(2)　$y=2x+\sqrt{x^2-1}$

練習 (基本) **106**　次の曲線の漸近線の方程式を求めよ。

(1)　$y=\dfrac{2x^2+3}{x-1}$

(2)　$y=x-\sqrt{x^2-9}$

基本 例題 107

□ 

関数 $y=\dfrac{1-\log x}{x^2}$ のグラフの概形をかけ。ただし，$\displaystyle\lim_{x\to\infty}\frac{\log x}{x^2}=0$ である。

練習 (基本) **107**　次の関数のグラフの概形をかけ。また，変曲点があればそれを求めよ。ただし，(3), (5) では $0 \leqq x \leqq 2\pi$ とする。また，(2) では $\lim_{x \to -\infty} x^2 e^x = 0$ を用いてよい。

(1)　$y = x - 2\sqrt{x}$

(2)　$y = (x^2 - 1)e^x$

(3)　$y=x+2\cos x$

(4) $y=\dfrac{x-1}{x^2}$

(5)　$y=e^{-x}\cos x$

(6)　$y=\dfrac{x^2-x+2}{x+1}$

基本 例題 108

関数 $y=4\cos x+\cos 2x$ $(-2\pi \leqq x \leqq 2\pi)$ のグラフの概形をかけ。

練習 (基本) **108**　次の関数のグラフの概形をかけ。ただし，(2) ではグラフの凹凸は調べなくてよい。

(1)　$y=e^{\frac{1}{x^2-1}}$　$(-1<x<1)$

(2) $y=\frac{1}{3}\sin 3x-2\sin 2x+\sin x\ (-\pi \leqq x \leqq \pi)$

重 要 例題 109

□ 解説動画

方程式 $y^2=x^2(8-x^2)$ が定める x の関数 y のグラフの概形をかけ。

練習 (重要) **109**　次の方程式が定める x の関数 y のグラフの概形をかけ。

(1)　$y^2=x^2(x+1)$

(2)　$x^2y^2=x^2-y^2$

重 要 例題 110

□ 

曲線 $\begin{cases} x=\cos\theta \\ y=\sin 2\theta \end{cases}$ $(-\pi \leqq \theta \leqq \pi)$ の概形をかけ(凹凸は調べなくてよい)。

練習 (重要) **110**　$-\pi \leqq \theta \leqq \pi$ とする。次の式で表された曲線の概形をかけ(凹凸は調べなくてよい)。

(1)　$x=\sin\theta$，$y=\cos 3\theta$

(2)　$x=(1+\cos\theta)\cos\theta$，　$y=(1+\cos\theta)\sin\theta$

基本 例題 111

□ 

e は自然対数の底とし，$f(x)=e^{x+a}-e^{-x+b}+c$ （a，b，c は定数）とするとき，曲線 $y=f(x)$ はその変曲点に関して対称であることを示せ。

練習 (基本) **111**　$a>0$, $b>0$ とし, $f(x)=\log\dfrac{x+a}{b-x}$ とする。曲線 $y=f(x)$ はその変曲点に関して対称であることを示せ。

基本 例題 112

□ 

第 2 次導関数を利用して，次の関数の極値を求めよ。

(1)　$f(x)=x^4-4x^3+4x^2+1$

(2)　$f(x)=2\sin x-\sqrt{3}\,x$　$(0\leqq x\leqq 2\pi)$

練習 (基本) **112**　第 2 次導関数を利用して，次の関数の極値を求めよ。

(1)　$y=\dfrac{x^4}{4}-\dfrac{2}{3}x^3-\dfrac{x^2}{2}+2x-1$

(2)　$y=e^x\cos x$　$(0\leqq x\leqq 2\pi)$

１６．方程式・不等式への応用

基本 例題 113

$x>0$ のとき，次の不等式が成り立つことを証明せよ。

(1)　$\log(1+x)<\dfrac{1+x}{2}$

(2)　$x^2+2e^{-x}>e^{-2x}+1$

練習 (基本) **113**　次の不等式が成り立つことを証明せよ。

(1)　$\sqrt{1+x}<1+\dfrac{x}{2}$　$(x>0)$

(2)　$e^x<1+x+\dfrac{e}{2}x^2$　$(0<x<1)$

(3)　$e^x>x^2$　$(x>0)$

(4) $\sin x > x - \dfrac{x^3}{6}$ $(x>0)$

基本 例題 114

□ 

(1) 不等式 $e^x > 1+x$ が成り立つことを示せ。ただし，$x \fallingdotseq 0$ とする。

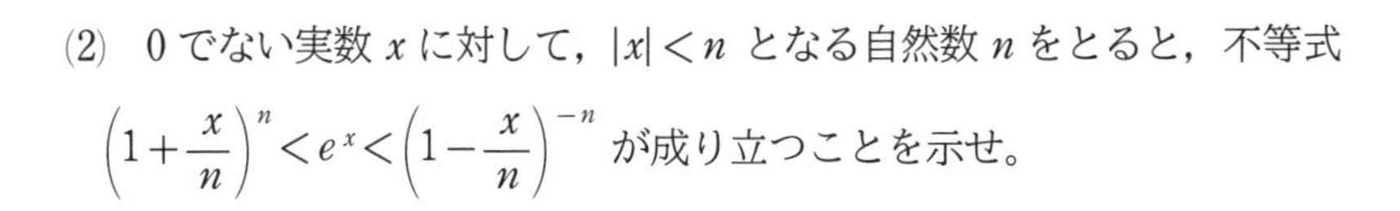

(2)　0 でない実数 x に対して，$|x|<n$ となる自然数 n をとると，不等式
$\left(1+\dfrac{x}{n}\right)^n<e^x<\left(1-\dfrac{x}{n}\right)^{-n}$ が成り立つことを示せ。

練習 (基本) **114**　(1)　$x\geqq 1$ において，$x>2\log x$ が成り立つことを示せ。ただし，自然対数の底 e について，$2.7<e<2.8$ であることを用いてよい。

(2) 自然数 n に対して，$(2n\log n)^n < e^{2n\log n}$ が成り立つことを示せ。

重 要 例題 115

□ 解説動画

$0 < a < b < 2\pi$ のとき，不等式 $b\sin\dfrac{a}{2} > a\sin\dfrac{b}{2}$ が成り立つことを証明せよ。

練習 (重要) **115**　$e<a<b$ のとき，不等式 $a^b>b^a$ が成り立つことを証明せよ。

重 要 例題 116

□ 解説動画

$0<a<b$ のとき，不等式 $\sqrt{ab}<\dfrac{b-a}{\log b-\log a}<\dfrac{a+b}{2}$ が成り立つことを示せ。

練習 (重要) **116**　$a>0$，$b>0$ のとき，不等式 $b\log\frac{a}{b} \leqq a-b \leqq a\log\frac{a}{b}$ が成り立つことを証明せよ。

重 要 例題 117

□ 解説動画

すべての正の数 x に対して不等式 $kx^2 \geqq \log x$ が成り立つような定数 k のうちで最小のものを求めよ。

練習 (重要) **117**　a を正の定数とする。不等式 $a^x \geqq x$ が任意の正の実数 x に対して成り立つような a の値の範囲を求めよ。

基本 例題 118 □ 

a は定数とする。方程式 $ax=2\log x+\log 3$ の実数解の個数について調べよ。ただし，$\lim_{x\to\infty}\dfrac{\log x}{x}=0$ を用いてもよい。

練習 (基本) **118** (1) k を定数とするとき，$0<x<2\pi$ における方程式 $\log(\sin x+2)-k=0$ の実数解の個数を調べよ。

(2) 方程式 $e^x=ax$ (a は定数) の実数解の個数を調べよ。ただし，$\lim_{x\to\infty}\frac{e^x}{x}=\infty$ を用いてもよい。

重 要 例題 119 □ 

$f(x)=-e^x$ とする。実数 b に対して，点 $(0,\ b)$ を通る，曲線 $y=f(x)$ の接線の本数を求めよ。ただし，$\lim_{x \to -\infty} xe^x=0$ を用いてもよい。

練習 (重要) **119**　$f(x)=\frac{1}{3}x^3+2\log|x|$ とする。実数 a に対して，曲線 $y=f(x)$ の接線のうちで傾きが a と等しくなるようなものの本数を求めよ。

１７．関連発展問題（極限が関連する問題）

演 **習** **例題 120** □ 

関数 $f(x)=x^2\sin\dfrac{\pi}{x^2}$ $(x>0)$ について，n を自然数とし，点 $\left(\dfrac{1}{\sqrt{n}},\ 0\right)$ における曲線 $y=f(x)$ の接線を ℓ_n とする。放物線 $y=\dfrac{(-1)^n\pi}{2}x^2$ と直線 ℓ_n の交点の座標を $(a_n,\ b_n)$（ただし，$a_n>0$）とするとき

(1) a_n を n を用いて表せ。

(2) 極限値 $\displaystyle\lim_{n\to\infty} n|b_n|$ を求めよ。

練習（演習）**120**　関数 $f(x)=e^{-x}\sin\pi x$　$(x>0)$ について，曲線 $y=f(x)$ と x 軸の交点の x 座標を，小さい方から順に x_1，x_2，x_3，…… とし，$x=x_n$ における曲線 $y=f(x)$ の接線の y 切片を y_n とする。

(1)　y_n を n を用いて表せ。

(2)　$\lim_{n\to\infty}\sum_{k=1}^{n}\frac{y_k}{k}$ の値を求めよ。

演 習 例題 121

□ 

関数 $f(x)=e^{-x}\sin x$ $(x>0)$ について，$f(x)$ が極大値をとる x の値を小さい方から順に x_1，x_2，…… とすると，数列 $\{f(x_n)\}$ は等比数列であることを示せ。また，$\sum_{n=1}^{\infty} f(x_n)$ を求めよ。

練習（演習）**121**　関数 $f(x)=e^{-x}\cos x\ (x>0)$ について，$f(x)$ が極小値をとる x の値を小さい方から順に x_1，x_2，…… とすると，数列 $\{f(x_n)\}$ は等比数列であることを示せ。また，$\displaystyle\sum_{n=1}^{\infty} f(x_n)$ を求めよ。

演 習 例題 122

解説動画

$0<x<\pi$ のとき，不等式 $x\cos x<\sin x$ が成り立つことを示せ。そして，これを用いて，

$\displaystyle\lim_{x\to+0}\frac{x-\sin x}{x^2}$ を求めよ。

練習（演習）**122**　(1)　$x \geqq 3$ のとき，不等式 $x^3e^{-x} \leqq 27e^{-3}$ が成り立つことを示せ。更に，$\lim_{x \to \infty} x^2e^{-x}$ を求めよ。

(2)　(ア)　$x > 0$ に対し，$\sqrt{x}\log x > -1$ であることを示せ。

(イ)　(ア)の結果を用いて，$\lim_{x \to +0} x\log x = 0$ を示せ。

１８．速度と加速度，近似式

基本 例題 123

□ 

(1) 数直線上を運動する点Pの座標 x が，時刻 t の関数として，$x=2\cos\left(\pi t+\dfrac{\pi}{6}\right)$ と表されるとき，$t=\dfrac{2}{3}$ における速度 v と加速度 α を求めよ。

(2) 座標平面上を運動する点Pの，時刻 t における座標が次の式で表されるとき，点Pの速さと加速度の大きさを求めよ。

$$x=3\sin t+4\cos t,\quad y=4\sin t-3\cos t$$

練習 (基本) **123**　(1)　原点を出発して数直線上を動く点 P の座標が，時刻 t の関数として，
$x=t^3-10t^2+24t$　$(t>0)$ で表されるという。点 P が原点に戻ったときの速度 v と加速度 α を求めよ。

(2)　座標平面上を運動する点 P の，時刻 t における座標が $x=4\cos t$，$y=\sin 2t$ で表されるとき，
$t=\dfrac{\pi}{3}$ における点 P の速さと加速度の大きさを求めよ。

基本 例題 124 □ 

動点Pが，原点Oを中心とする半径 r の円周上を，定点 P_0 から出発して，OPが1秒間に角 ω の割合で回転するように等速円運動をしている。

(1) Pの速度の大きさ v を求めよ。

(2) Pの速度ベクトルと加速度ベクトルは垂直であることを示せ。

練習 (基本) **124** (1) 動点Pが，原点Oを中心とする半径 r の円周上を，定点 P_0 から出発して，OPが1秒間に角 ω の割合で回転するように等速円運動をしている。Pの加速度の大きさを求めよ。

(2) $a>0$, $\omega>0$ とする。座標平面上を運動する点Pの，時刻 t における座標が
$x=a(\omega t-\sin\omega t)$, $y=a(1-\cos\omega t)$ で表されるとき，加速度の大きさは一定であることを示せ。

重 要 例題 125 □ 

曲線 $xy=4$ 上の動点Pから y 軸に垂線PQを引くと，点Qが y 軸上を正の向きに毎秒2の速度で動くように点Pが動くという。点Pが点(2, 2)を通過するときの速度と加速度を求めよ。

練習 (重要) **125**　楕円 $\dfrac{x^2}{9}+\dfrac{y^2}{4}=1$ $(x>0,\ y>0)$ 上の動点 P が一定の速さ 2 で x 座標が増加する向きに移動している。$x=\sqrt{3}$ における速度と加速度を求めよ。

基本 例題 126

□ 

底面の半径が 5 cm，高さが 10 cm の直円錐状の容器を逆さまに置く。この容器に $2\ \mathrm{cm^3/s}$ の割合で静かに水を注ぐ。水の深さが 4 cm になる瞬間において，次のものを求めよ。

(1) 水面の上昇する速さ

(2) 水面の面積の増加する割合

練習 (基本) **126**　表面積が 4π cm^2/s の一定の割合で増加している球がある。半径が 10 cm になる瞬間において，以下のものを求めよ。

(1)　半径の増加する速度

(2)　体積の増加する速度

基本 例題 127

□ 

(1) $|x|$ が十分小さいとき，$f(x)=\sqrt[4]{1+x}$ の 1 次の近似式，2 次の近似式を作れ。

(2) $\sin(a+h)$ の 1 次の近似式を用いて，$\sin 59°$ の近似値を求めよ。ただし，$\pi=3.14$，$\sqrt{3}=1.73$ として小数第 2 位まで求めよ。

練習 (基本) **127**　(1)　$|x|$ が十分小さいとき，次の関数の 1 次の近似式，2 次の近似式を作れ。

(ア)　$f(x)=\log(1+x)$

(イ)　$f(x)=\sqrt{1+\sin x}$

(2) 1次の近似式を用いて，次の数の近似値を求めよ。ただし， $\pi=3.14$， $\sqrt{3}=1.73$ として小数第2位まで求めよ。

(ア) $\cos 61^\circ$

(イ) $\sqrt[3]{340}$

(ウ) $\sqrt{1+\pi}$

基本 例題 128

□ 

△ABC で，AB＝2 cm，BC＝$\sqrt{3}$ cm，∠B＝30° とする。∠B が 1° だけ増えたとき，次のものは，ほぼどれだけ増えるか。ただし，$\pi=3.14$，$\sqrt{3}=1.73$ とする。

(1) △ABC の面積 S

(2) 辺 CA の長さ y

練習 (基本) **128** (1) 球の体積 V が 1 % 増加するとき，球の半径 r と球の表面積 S は，それぞれ約何 % 増加するか。

(2) AD∥BC の等脚台形 ABCD において，AB＝2 cm，BC＝4 cm，∠B＝60° とする。∠B が 1° だけ増えたとき，台形 ABCD の面積 S は，ほぼどれだけ増えるか。ただし，$\pi=3.14$ とする。